Le bonheur, un état naturel
Copyright 1985 par Le Cercle international des Gagnants

Dépôts légaux 3e trimestre 1985
Bibliothèque Nationale du Québec
Bibliothèque Nationale du Canada

Une production de:
Les Éditions Le Cercle international des Gagnants

Composition / montage: Typographie Estrie inc.

Impression: René Prince imprimeur

Collection: Progression
ISBN: 2-89323-994-3

Distribué par:
QUÉBEC LIVRES
4435, boul. des Grandes Prairies
Montréal, Qué. H1R 3N4
Tél.: (514) 327-6900

ANDRÉ SARRAZIN

LE BONHEUR, UN ÉTAT NATUREL

Les Éditions Le Cercle international
des Gagnants
C.P. 57, Succursale R
Montréal, Qué. H2S 3K6

Du même auteur:

Collection: Motivation et Perfectionnement de soi.

"Une recette infaillible"
"Une force invincible"

Collection: Progression

"La puissance de votre pensée"
"Le goût de la vie"

*Je dédie ce livre
à ma soeur Lise.
Je lui témoigne ma
tendresse et lui
souhaite le plus
grand bonheur !*

Je remercie particulièrement mon ami Jean-Guy Bourbonnais. Via son journal "Succès, Promotions, Profits", il a su me faire confiance comme "chroniqueur" et m'inculquer le désir de promouvoir mes idées davantage. C'est avec un vif plaisir que je lui témoigne ma reconnaissance!

AVANT-PROPOS

CHACUN ESSAIE DE DÉFINIR LE BONHEUR À SA FAÇON. Je ne sais pas si vous avez déjà essayé de définir votre bonheur. C'est tellement simple et complexe en même temps. Certaines personnes le font. En tout cas, moi, j'avais le goût d'essayer, à partir de mon expérience de vie, de mes nombreuses années comme thérapeute.

Je dois vous avouer que JE VOIS LE BONHEUR COMME QUELQUE CHOSE DE TELLEMENT ABSTRAIT! MAIS AUSSI TELLEMENT PRÉSENT DANS NOTRE VIE! Si on ne le ressent pas, il y a un grand vide en nous. On peut s'entourer d'un ensemble de choses extérieures pour se sécuriser. Malgré tout ça, le vide est encore présent, l'ennui.

Je crois donc que le bonheur est en nous. C'EST UN SENTIMENT DE PLÉNITUDE. Il comble ce vide, partage ma vie. C'est le petit soleil qui réchauffe mon coeur en permanence, qui me soutient dans les périodes de crises. IL S'HARMONISE AVEC MOI. Enfin, il devient mon propre miroir d'amour, de joie de vivre, de succès…

J'ai la responsabilité de le cultiver et de l'épanouir toujours !

ANDRÉ SARRAZIN

I

Un état naturel !

**Le bonheur est
aussi naturel
que manger, boire,
dormir!**

UN ÉTAT NATUREL

Atteindre le bonheur c'est bien différent, ça n'a pas la même signification pour chacun. ÇA VARIE TELLEMENT D'UNE PERSONNE À UNE AUTRE. Certains atteignent un niveau de vie et sont heureux. Pour d'autres, ce niveau n'est pas suffisant. Ils ont l'impression de ne pas avoir réussi. Il leur en faut beaucoup plus de la vie. Pourquoi se contenter d'un pain quand on peut avoir la boulangerie! C'est une réaction très humaine.

LE BONHEUR EST UN ÉTAT NATUREL autant que le malheur peut le devenir. C'est la responsabilité de chacun, de travailler à tous les jours, à l'épanouissement de son bonheur. De quelle façon? EN SE SERVANT DU POUVOIR INVISIBLE MAIS TOUT PUISSANT DE SA PENSÉE. Voilà le mot magique. La pensée est un élément naturel de la vie. Tout le monde pense. Que ce soit positif ou négatif, c'est toujours une pensée.

Les gens me disent souvent qu'ils pensent à trop de choses en même temps. Ça les énerve car ils ont de la difficulté à contrôler leurs pensées. En réa-

La pensée

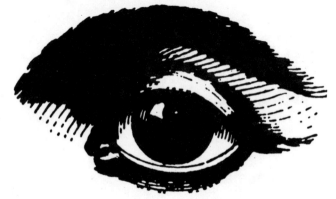

Cette merveilleuse puissance naturelle
peut nous diriger vers notre bonheur.

lité, on pense à une chose à la fois mais très rapidement. Même principe que la projection d'un film sur un écran. Les images se suivent rapidement et on a l'impression de voir seulement une image. LA PENSÉE, CETTE MERVEILLEUSE PUISSANCE, SE DISCIPLINE PAR LA PRATIQUE. Avec le temps et l'exercice, on arrive à se concentrer sur la même idée, aussi longtemps qu'on veut. On peut aussi réussir à chasser les idées qui nous déplaisent et garder seulement celles qu'on aime. C'EST AUSSI FACILE DE CULTIVER UNE IDÉE POSITIVE QU'UNE IDÉE NÉGATIVE. C'est la même énergie, le même temps. Au Centre Coresprit, à Montréal, nous donnons ce genre de cours. En contrôlant son mode de pensée, on arrive à créer son bonheur, à en faire un état naturel. On refuse d'être malheureux, on devient des gens responsables, capables de faire des choix clairs. On apprend à affronter les problèmes et à les vaincre surtout.

ON DOIT CROIRE DANS CE POUVOIR EN NOUS. On ne le voit pas mais il est là. Tout comme le pouvoir de l'électricité, du téléphone, la radio, télévision. La pensée émet des ondes, des vibrations qui ressortent, se transforment. Même si nous ne saisissons pas tout à fait la véritable nature de l'électricité, cela ne nous empêche en aucune façon de nous en servir. C'EST UNE FORCE EXISTANTE DE LA NATURE. On l'utilise à tous les jours pour répondre à des besoins bien spécifiques, pour son accommodation et sa propre satisfaction personnelle.

Toute idée, mûrie dans son coeur, tend à se réaliser. D'autant plus facilement si elle est accompagnée de sentiments et supportée par la persévérance. Cela est valable aussi bien pour les pensées négatives que pour les positives. Le pouvoir invisible mais infiniment supérieur de la pensée est l'une des forces créatrices les plus importantes. Il s'agit de l'utiliser de la bonne manière. L'ESPRIT EST TOUT PUISSANT. Ce qu'on pense, on le devient. Notre existence entière est le fruit de notre pensée. D'ailleurs, tout dans l'univers tire son origine de la pensée. Et de chacune de ces pensées, se dégage une merveilleuse puissance qui mise, à notre service, dans notre vie quotidienne, NOUS AMÈNE VERS UN BONHEUR ULTIME, vers d'infinies richesses. C'est simplement une loi psycho-dynamique naturelle. Il faut l'appliquer pour atteindre le bonheur. Donc, il est important de la connaître car cela devient un atout majeur dans sa vie. Cela peut faire la différence entre vivre une vie heureuse ou malheureuse.

PENSÉE • BONHEUR • AMOUR

Si nous croyons dans notre bonheur, nous allons le réaliser !

II

La pensée et la santé.

**La santé est
le premier ingrédient
dans la recette
du bonheur !**

LA PENSÉE ET LA SANTÉ

Il est impossible de faire de sa vie un succès total si on entretient des pensées négatives et un sentiment de malaise dans son coeur. Ce qu'on pense constamment, DEVIENT PARTIE INTÉGRANTE de notre caractère, notre personnalité, tout notre être et finalement de notre vie et de notre bonheur. PAR LE POUVOIR NATUREL DE LA PENSÉE, on stimule la source de la "force invincible" du bonheur en nous. On est en rapport constant et fortifié continuellement par elle. On la sent mijoter à l'intérieur de soi, nous guidant lentement mais sûrement, avec confiance, courage, avec une foi vigoureuse et inébranlable. Tout ça se cultive.

La puissance incommensurable de la pensée AGIT AUSSI SUR NOTRE ÉTAT DE SANTÉ PHYSIQUE. Des pensées positives déversent dans notre corps, des courants de force, de bonheur. Des pensées négatives paralysent, engourdissent, enlisent et déclenchent avec le temps des perturbations sérieuses dans l'organisme. NOTRE COEUR EST L'ORGANE QUI RÉAGIT PRESQUE IMMÉDIATEMENT SOUS L'EFFET DES PENSÉES. Il peut battre lentement et calmement ou irrégulièrement et violemment. La

**Cultivons à chaque jour
l'idée de la santé et du bonheur.
La vie nous récompensera !**

marche de son coeur et avec elle, son état de santé, bon ou mauvais, dépendent de ses pensées. Ce que nous craignons le plus, HABITUELLEMENT SE RÉALISE. Celui qui craint la maladie tombe très facilement malade. Les pensées négatives amènent la maladie et peuvent même causer la mort, tellement leur puissance est sans limite. Vous devez sûrement connaître quelqu'un dans votre famille ou votre entourage qui a vécu cette malheureuse expérience. Sachons aussi que les pensées positives de bonheur ont la même puissance.

Personnellement, à travers ma pratique privée, je rencontre souvent des gens qui veulent guérir MAIS QUI N'Y CROIENT PAS. Les médecins ont constaté qu'une façon de vaincre la maladie est DE CONTINUER À DÉVELOPPER LE GOÛT DE VIVRE. Cette dame, désespérée, âgée de 48 ans, atteinte d'un cancer, me demande de l'aider par magnétisme. Elle avait lu dans un livre que l'énergie magnétique, transmise d'une personne à une autre, peut guérir. En discutant avec elle, je constate que depuis sa plus tendre enfance, elle entretient des pensées négatives. Elle craignait énormément la maladie. Elle s'en faisait avec tout et rien. Aujourd'hui, ELLE FAIT LA DOULOUREUSE CONSTATATION, que son mode de pensée l'a entraînée directement dans la maladie au lieu du bonheur. Elle en souffre énormément. Tout ce que je peux faire, en collaboration avec son médecin, est de SOULAGER QUELQUE PEU SA DOULEUR PSYCHOLOGIQUE ET PHYSIQUE. Je trouve ça très malheureux. Par ignorance de certaines lois de la nature, on se crée soi-même la maladie et même la mort. Donc le contraire est aussi possible. Par sa pensée, on peut créer son bonheur.

**Par sa pensée, tout en posant
des gestes concrets et appropriés,
on peut créer son bonheur!**

C'est à l'intérieur
de soi, en pensant
qu'il est possible
d'y arriver, qu'on fait
naître son bonheur!

III

La grande puissance invisible !

LA GRANDE PUISSANCE INVISIBLE

L'exemple du chapitre précédent, permet de constater comment la peur, une de nos plus grandes ennemies, si elle est ressentie fortement, A TENDANCE À SE RÉALISER. Ceci signifie aussi qu'un désir de bonheur ressenti avec autant d'intensité, peut facilement se manifester de la même façon. CE MERVEILLEUX POUVOIR DE LA PENSÉE EST VRAIMENT PUISSANT. Souvent, simplement par le fait qu'on ne le voit pas, on oublie de l'utiliser à bon escient. Je le constate régulièrement, par la réaction des gens qui découvrent ce pouvoir à travers les cours d'hypnose, d'auto-suggestion, de magnétisme, de motivation, etc... Ils sont agréablement surpris de réaliser COMMENT ILS UTILISAIENT À PEINE CETTE FORCE qui était présente, mais qu'ils n'avaient pas encore éveillée en eux, pour créer leur bonheur.

Cette fascinante puissance de la pensée, on peut l'utiliser dans toutes les sphères de sa vie. Lors de mes cours, je rencontre de plus en plus de gens qui s'ouvrent à ce pouvoir incommensurable et qui

Notre potentiel est souvent supérieur
à ce que nous croyons. On peut sûrement
l'utiliser encore davantage en fonction
de notre bonheur !

obtiennent des résultats incroyables. CHACUN POS-SÈDE CE POUVOIR À UN NIVEAU DIFFÉRENT. Il n'y a pas deux personnes ayant les mêmes talents et facultés. Ce que l'un fait, aucun autre ne saurait l'accomplir de la même façon. On peut faire beaucoup plus que ce qu'on pensait en réalité. Quelque chose de particulier, d'unique, en vue de son progrès, de son bien-être, son bonheur.

NOUS SOMMES TOUS NÉS AVEC DES FORCES, des talents, des aptitudes souvent supérieurs à ce qu'on a toujours pensé. Les qualités admirées chez les autres, existent en soi, souvent à l'état de sommeil. Elles attendent l'occasion de pouvoir se manifester. LA CROISSANCE EST UNE LOI DE LA VIE. Toute personne tend vers le perfectionnement et le progrès. Il ne tient qu'à nous de passer à l'action et de réaliser des désirs qui nous tiennent à coeur. ON LIMITE SOI-MÊME LES POSSIBILITÉS DE SON BONHEUR. Croire, avoir confiance, réussir, mobilisent et accroissent ce pouvoir latent, débloque des énergies encore insoupçonnées. Souvent, dans des situations d'urgence (accident, feu, désastre), on se surprend à réagir avec vigueur, dextérité et une habileté incroyable. Ces occasions nous permettent de découvrir ce pouvoir indéniable. On pense vite et bien. Donc, il est tout aussi possible de penser que le bonheur peut exister pour nous. En canalisant bien ses énergies dans cette direction, nous y parviendrons. Utilisons cette grande puissance invisible de la pensée, pour le créer ou le cultiver davantage ce bonheur. Il fera donc partie de notre vie, tout naturellement.

**Certains croient que c'est
seulement ça le bonheur...**

> **Le bonheur, c'est d'arriver à créer une certaine forme d'équilibre dans sa vie, à tous les niveaux !**

IV

Apprendre
à penser!

Le bonheur est toujours accompagné de paix, d'amour, de tendresse !

APPRENDRE À PENSER

Vivant des situations différentes plusieurs fois par jour, cela réveille chez nous des sentiments. C'EST QUOI UN SENTIMENT? C'est une réaction physique provoquée par la pensée. Ce sont des émotions qu'on choisit d'extérioriser ou de garder. L'amour, la joie, l'enchantement, la haine, la colère, la tristesse sont des sentiments ressentis par tout être humain. À partir du moment où on est capable de choisir les sentiments vécus, on évite la dépression nerveuse, on construit son bonheur. DEVENIR UNE PERSONNE SAINE ET LIBRE EXIGE D'APPRENDRE À PENSER DE FAÇON ÉQUILIBRÉE. C'est-à-dire qu'on ne laisse pas les événements et les circonstances nous rendre malheureux. Si quelqu'un m'agace, j'essaie de m'en éloigner. Si je ne peux pas, je compose avec la situation. Ce peut être déplaisant mais je ne dois pas laisser cette situation gâcher toute ma vie, m'éloigner de mon bonheur. C'est à l'intérieur de moi que je le retrouve ce bonheur. Il est accompagné de paix, d'amour, de tendresse...

Par ma façon de contrôler ma pensée, mes sentiments, de voir la vie, j'y travaille à chaque instant.

**Le bonheur est aussi
un sentiment qu'on partage ...**

TOUT PASSE PAR LA TÊTE ET LE COEUR. Donc, je suis responsable de ce que j'éprouve, je ressens. Souvent on pense le contraire. On a l'impression plutôt, qu'on est à la merci des événements extérieurs, des autres. On est dépassé par tous ces éléments et ça nous rend malheureux. On dit: "Le bonheur, ce n'est pas pour moi". POURQUOI? Le bonheur, c'est autant pour moi comme ça l'est pour toi. C'est bien sûr qu'en pensant ça, on l'éloigne et ensuite on s'étonne de toujours se retrouver dans des situations plus abracadabrantes les unes que les autres. "TEL TU PENSES, TEL TU ES". C'est une loi de la vie. Aussi bien en prendre conscience tout de suite et l'appliquer. Ça évite beaucoup de situations désagréables, de pleurs et de déceptions.

Par notre éducation et plusieurs autres facteurs, on a tendance à se rendre victime de notre situation plutôt que de la contrôler. On blâme facilement les autres et les circonstances extérieures pour tout ce qui nous arrive. "Oh, comme il me fatigue celui-là, il me met hors de moi, à chaque fois que je le vois" ou bien "S'il ne pleuvait pas aujourd'hui, mon moral serait meilleur". Je pourrais continuer encore longtemps avec ce genre de phrases. On se répète ça à longueur de journée. Ça devient inconscient tellement c'est incrusté en nous. On ne s'en rend plus compte. Imaginez comment c'est sérieux.

POUR CHANGER QUELQUE CHOSE, IL FAUT COMMENCER PAR EN PRENDRE CONSCIENCE. Ce n'est pas l'autre qui me fatigue. C'est moi qui se fatigue au contact de l'autre. Ce n'est pas la pluie qui affaiblit mon moral. C'est moi qui pense que mon moral est plus faible quant il pleut. Il peut tomber des clous et si je choisis que cela n'affecte pas mon moral, il va rester très fort. C'est moi, par ma façon de penser, qui choisis mon état d'être. C'est moi qui choisis de me rendre malheureux ou heureux, peu importe ce qui se passe autour. C'est moi, qui choisis quelle forme de bonheur je veux développer dans ma vie. C'est moi, qui est responsable de mon bonheur, pas les autres, ni les événements extérieurs.

Donc si le bonheur a tendance à m'échapper ou que je ne le ressens pas à l'intérieur de moi, je dois faire un petit examen de conscience. Ça me permettra de voir quels moyens je prend ou ne prend pas pour faire de ma vie, un bonheur continuel.

MOYENS ADÉQUATS = BONHEUR

**Pour l'enfant, le bonheur
c'est pas compliqué du tout !**

V

Faire le bon choix!

**On doit discipliner son mode de penser
pour atteindre son bonheur !**

FAIRE LE BON CHOIX

On est habitué à penser d'une certaine façon. QUE C'EST DONC DIFFICILE DE SE DÉFAIRE D'UNE HABITUDE. Les fumeurs, avez-vous déjà essayé d'arrêter de fumer? Certains y arrivent, d'autres ne réussissent pas. Je rencontre des tas de gens à ma clinique, qui ont de la difficulté à arrêter de fumer. En utilisant soit, l'hypnose, le magnétisme, l'acupuncture et d'autres méthodes, cela donne un bon "coup de pouce." On fume sans s'en rendre compte. Ça devient une habitude comme chiâler, chanter, créer son bonheur.

COMMENT NAÎT UNE HABITUDE? Par la répétition des mêmes pensées, des mêmes gestes, tout le temps. Ça devient de la routine. Que ce soit une pensée positive ou négative. C'est la même chose. Pourquoi avons-nous la légère tendance à développer plus facilement des pensées négatives que positives? Dans mon livre "le pouvoir de votre pensée", je l'explique plus en détail. Nous sommes entourés de négatif, alors on se laisse influencer souvent inconsciemment. C'est pourquoi, il faut faire le bon choix pour atteindre son bonheur. DISCIPLINER SON

Le bonheur, c'est
facile, naturel,
pas compliqué du
tout. On le retrouve
dans la simplicité...

MODE DE PENSER. C'est très difficile mais réalisable.

On est habitué d'avoir des pensées attristantes, démoralisantes, déprimantes. Il faut souffrir pour gagner des indulgences, hein? Il faut se culpabiliser en masse et se martyriser pour gagner son ciel, sinon on va brûler en enfer... Voyons donc! Jésus-Christ a toujours prêché l'amour. Je ne veux pas faire de religion mais, tout comme vous, j'ai subi l'influence de cet enseignement assez rigide, nuisant à des grands bouts de ma vie. Il faut s'en sortir un jour, faire des nuances et y découvrir l'essence qui est "l'amour". Une source infinie de bonheur. Mais avant de saisir tout ça, on y goûte! C'est très simple. On n'a pas besoin de se demander d'où proviennent les pensées négatives de doute, de peur, de méfiance, etc... ÇA SE VÉHICULE D'UNE GÉNÉRATION À UNE AUTRE.

Nonobstant tout cela, la responsabilité de chacun, pour atteindre son bonheur est de développer des bons moyens, FAIRE LE BON CHOIX. Pleurer sur son sort, s'apitoyer, ça n'amène pas le bonheur. Au contraire, ça l'éloigne. Ça développe le sentiment de culpabilité encore davantage. Ça nous rend de plus en plus malheureux. LE BONHEUR, C'EST FACILE, NATUREL, PAS COMPLIQUÉ POUR UN SOU. On le retrouve dans la simplicité. Regardez la candeur et la naïveté des enfants. N'ont-ils pas l'air heureux? Ils vivent avec leur coeur, pas avec leur tête. En vieillissant, ils vont faire comme nous et trop commencer à tout analyser. C'est alors qu'on perd sa spontanéité. C'est pourquoi on a plus de difficulté à trouver le bonheur.

N'ont-ils pas l'air rempli de bonheur?

ON DOIT FAIRE LE CHOIX DE CULTIVER CES QUALITÉS. On les a en nous depuis notre enfance. Elles se sont endormies un peu. Développons davantage cette grande capacité de pouvoir s'émerveiller devant la vie. Dernièrement en conférence, j'écoutais le motivologue Ray Vincent qui en parlait justement. Plusieurs auteurs le mentionnent aussi dans leurs livres. Ce n'est rien de nouveau mais on l'oublie. On a souvent tendance à répéter: "Je savais tout ça!" ou "C'est rien de nouveau pour moi!" SAVOIR QUELQUE CHOSE NE DONNE RIEN S'IL N'EST PAS APPLIQUÉ DANS SA VIE pour construire son bonheur.

Je rencontre beaucoup de monde qui connaisse bien des choses. Malheureusement, je suis obligé de faire un constat. Je réalise que plusieurs personnes ne savent pas une chose: ELLES NE SAVENT TOUT SIMPLEMENT PAS COMMENT APPLIQUER CES CONNAISSANCES qu'elles disent posséder dans leur vie de tous les jours. Certaines personnes y réussissent et fabriquent leur bonheur. C'est une minorité. Les autres se servent de belles excuses comme "je savais tout ça" et obtiennent des résultats médiocres. On entend souvent cette expression "Il n'y a rien de nouveau sous le soleil". Dans les grands principes de vie j'entérine mais en ce qui me concerne je dis non. À CHAQUE JOUR, J'AI LA RESPONSABILITÉ DE ME RENOUVELER, MOI! De faire le bon choix pour être heureux, remplir ma vie de bonheur...

**Le bonheur, c'est aussi de donner…
avec son coeur !**

Le bonheur se compose d'un million de petites choses. À chaque jour, on doit essayer d'en réaliser au moins une...

VI

Construire
son bonheur!

**Le bonheur, c'est un état d'âme,
un sentiment de bien être,
une satisfaction de vivre !**

CONSTRUIRE SON BONHEUR

Facile à dire, plus difficile à faire mais non impensable. POUR MOI, LE BONHEUR, C'EST UN ÉTAT D'ÂME. Un sentiment de bien-être. Une satisfaction de vivre. Le goût de la vie.[1] Une sensation continuelle d'amour universel, de chaleur humaine, de partage perpétuel, d'échange, de mouvement, d'actions positives. C'est toujours difficile de mettre les bons mots pour un sentiment... Je vous donne ma définition; VOUS AVEZ AUSSI LA VÔTRE. Celle que vous vivez à chaque instant, à chaque jour de votre vie. Ce bonheur que vous cherchez et que vous réussissez à trouver, j'espère!

CE BONHEUR, C'EST À L'INTÉRIEUR DE SOI QU'ON LE RESSENT. Il est là, présent. Parfois, enterré sous d'épaisses couches négatives; on ne pense même pas qu'il existe. La méfiance, la vengeance, la jalousie, la critique destructive sont quelques-unes de ces couches négatives. Débarrassons-nous en! Perçons quelques trous dans cette cara-

_____
(1) Titre d'un autre de mes livres.

**Quand on fait ce que l'on aime,
on ressent du bonheur.**

pace afin de le laisser filtrer vers l'extérieur, de l'harmoniser avec les éléments qui nous entourent.

On est habitué de concevoir ce sentiment comme étant en-dehors de nous. NOUS ESSAYONS DE CONSTRUIRE NOTRE BONHEUR À PARTIR D'ÉLÉMENTS EXTÉRIEURS. Un bon travail, un partenaire idéal, des amis, de l'argent, etc... Je connais des gens qui possèdent tout ça et qui sont très malheureux. Vous en connaissez sûrement vous aussi. Vous-même, peut-être! Il faut s'ouvrir les yeux un peu. On peut se perdre dans des quantités de choses matérielles et ne jamais trouver le bonheur. POURQUOI? Parce que ce n'est pas là qu'il se retrouve. Beaucoup de gens cherchent toujours au même endroit. Ils ont toujours malheureux. On peut passer notre vie à chercher sans jamais le trouver. On doit creuser là où il est, À L'INTÉRIEUR DE SOI.

C'est curieux comme les gens ne le réalisent pas. On s'en tient toujours aux éléments extérieurs, surtout centrés sur les biens matériels. On est toujours en compétition avec les autres. On se met de la pression continuellement. "Mon beau-frère vient de changer d'auto, il faut que je change la mienne aussi", ou "Elle a changé son manteau de fourrure, elle est chanceuse, son mari a une grosse "job", etc..." En affaires et dans la vie, une compétition saine, c'est stimulant. En autant que ça ne rende pas malade ou malheureux. Donc ce bonheur, il dort souvent en nous. Nous avons le devoir de l'éveiller chacun pour soi, de le vivre au maximum.

Ce coffre aux trésors du bonheur,
si nous le possédons à l'intérieur de nous,
il se reflètera aussi à l'extérieur, dans notre vie !

RÉFLEXION

Construire mon bonheur, ça représente quoi pour moi?

PENSER POSITIVE

CONNAITRE NOUVELLE PERSONNE

PROFITER DES EVENEMENT AU LIEU
DE LES SUBIRS

DIRE BONJOUR

AIDER QUELQU'UN

DEGAGER BON-HUMEUR

SOURIRE

ME DONNER DU TEMP

VII

La volonté
d'être heureux!

**Est-ce que je possède cette volonté
de vouloir bâtir mon bonheur?**

LA VOLONTÉ D'ÊTRE HEUREUX

Pour construire son bonheur, ON DOIT AUSSI AVOIR LA VOLONTÉ D'ÊTRE HEUREUX. Ne pas démissionner tout de suite quand on rencontre une difficulté. Il ne suffit pas d'essayer une fois. Il faut essayer tout le temps pour réussir. Ceci m'amène à une anecdote.

J'ai enregistré des cassettes de relaxation, motivation, santé, bonheur, etc... Ce sont des programmations d'une heure, pour impressionner le subconscient. C'est un moyen d'améliorer des traits de personnalité par soi-même, chez soi. Ces programmations positives sont très efficaces si elles sont bien appliquées. Côté "A" de la cassette sont paroles et musique; côté "B" est subliminal, c'est-à-dire que le message est sous la musique. C'est un peu le même principe que la publicité. À force d'entendre le même message, il finit par nous influencer. C'est aussi une forme d'auto-suggestion. Le subconscient demande un minimum de vingt et un à trente jours pour accepter un message. On doit donc écouter sa programmation une fois par jour, pendant un mois si on veut ressentir un bienfait et plus longtemps pour un meilleur

*Suis-je prêt
à mettre l'énergie
et les efforts
nécessaires
pour construire
mon bonheur?*

résultat. Je vous explique pour vous aider à mieux comprendre.

Une dame de l'Abitibi était venue me rencontrer à ma clinique de Montréal. Je lui ai préparé une programmation sur cassettes, afin de l'aider à résoudre un problème personnel, ayant insisté sur l'importance de bien appliquer la méthode pour obtenir un résultat. Elle me contacte trois mois plus tard. Je vous résume notre conversation: "Vous savez, votre affaire de cassettes, ça ne marche pas bien fort". Je lui demande de s'expliquer. "Bien, je les écoute presque pas, je n'ai pas le temps". Quelle est l'utilité de s'acheter une voiture si on la laisse toujours dans le garage?

Quand je parle de LA VOLONTÉ D'ÊTRE HEUREUX, de bâtir son bonheur, je signifie aussi L'EFFORT qui accompagne la démarche. Il n'y a rien qui se fait seul. Ça prend au moins un minimum d'efforts. Tout ne nous arrive pas sur un plateau d'argent. À la base, s'il n'y a pas cette volonté d'y mettre l'énergie nécessaire, cette motivation à s'impliquer malgré les difficultés rencontrées, on obtiendra peu de résultats. Même si on a le meilleur bois, le plus sec, pour chauffer son foyer, si on n'a pas de feu pour l'allumer, ça ne dégagera jamais de chaleur.

CHEZ L'ÊTRE HUMAIN, ON RETROUVE LES MÊMES PRINCIPES QUE DANS LA NATURE. On peut dire qu'on travaille à construire son bonheur, en paroles, mais dans les faits, c'est souvent bien différent. S'il manque l'étincelle qui nous fait vibrer. C'est à peu près nul. DÉVELOPPER LA VOLONTÉ DU BONHEUR, c'est ne pas craindre de s'impliquer, d'y mettre tout son coeur, de remettre des choses en question dans sa vie. Tout dépend avec quelle intensité je le veux ce bonheur. LA VÉRITABLE QUESTION, c'est ma capacité à le vouloir. Ça prend de la patience. C'est une démarche progressive et lente, à coups d'efforts, souvent ardus. C'est au moment où les événements se produisent qu'on doit réagir. Pas toujours emmagasiner et tout garder à l'intérieur de soi ou remettre à demain. Une telle attitude nous détourne du bonheur elle nous en éloigne. LE BONHEUR, C'EST AUJOURD'HUI! Si le bonheur est pour demain, il nous échappera tout le temps. Il faut le saisir lorsqu'il est présent. Il est là à chaque instant vécu. Pas hier, ni demain. MAINTENANT!

CAPACITÉ ● VOLONTÉ ● BONHEUR

**Combien de temps, vais-je encore
laisser s'écouler, avant de profiter
de ma vie, de mon bonheur?**

VIII

La motivation
à s'épanouir
davantage.

Je suis un tourbillon de bonheur...

LA MOTIVATION
À S'ÉPANOUIR DAVANTAGE

JE DOIS LE SAISIR AU MOMENT OÙ IL PASSE, CE BONHEUR. Je le trouve où je provoque les occasions de le voir, de l'atteindre. Je suis motivé à tout faire pour qu'il s'épanouisse! Mais en fait, QUI EST-IL CE BONHEUR? Eh bien, c'est moi! Je suis mon propre bonheur. Je fabrique mon bonheur. C'est toute une responsabilité. Je n'attends plus après les autres pour le faire. Je ne suis plus dépendant de personne. Si je dois m'épanouir encore un peu pour mieux le sentir, eh bien, j'y mets l'effort nécessaire.

Je le mentionnais tantôt, il est en moi. C'est moi. JE SUIS UN TOURBILLON DE BONHEUR. Je le dégage, je le reflète sur les autres et il me revient comme si je le projetais sur un miroir. Je suis l'image du bonheur ambulant. Je vais mon chemin, partageant mon bonheur avec les autres. Impossible de le perdre car je le cultive à tous les jours, je l'entretiens. Il fait partie intégralement de moi-même. POURQUOI? Parce que j'ai cette étincelle, ce feu sacré, en-dedans de moi, cette motivation de vouloir

**Moi, je possède cette étincelle du bonheur…
et vous?**

qu'il s'épanouisse toujours davantage, à chaque moment que je vis. En m'épanouissant moi-même, automatiquement, mon bonheur s'épanouit.

Malgré toutes les difficultés de la vie, les vicissitudes, il est toujours présent. Il ne me quitte jamais. Il m'aide à surmonter toutes ces périodes où j'aurais le goût de tout lâcher. Mon bonheur et moi, on fait un. On est unique. On est ensemble. On est fort et solide parce qu'on sait qu'il n'y a rien d'impossible. QUE RIEN NE PEUT NOUS ARRÊTER. On continue toujours à progresser, poussé par cet élan de la vie et, plus on avance, plus on s'apprécie, plus on s'aime, plus on se sent près l'un de l'autre. Plus on partage intensément toutes les joies qui passent. À l'occasion, on doit s'ajuster aussi afin de toujours vivre en harmonie.

Pour réussir à développer cette motivation, à m'épanouir davantage avec mon bonheur, JE DOIS COMMENCER PAR CROIRE QU'IL EXISTE Qu'il est là présent, à l'intérieur de moi. Je dois pouvoir le sentir. Me familiariser avec lui. L'apprivoiser. Se placer sur la même longueur d'onde afin d'émettre les mêmes vibrations d'amour, de joie de vivre, de succès. Sinon, ça va sonner faux. Les paroles que je dis et les vibrations que je transmets ne seront pas les mêmes. Je vais vivre en conflit avec mon bonheur. S'il est malheureux avec moi, il va s'en aller. Je vais le perdre...

À chaque jour,
je cultive mon
bonheur... et on
s'épanouit ensemble
de plus en plus !

Pour éviter ça pendant qu'il est encore temps, JE DOIS APPRENDRE À MIEUX ME CONNAÎTRE. Je dois renforcer des qualités, corriger des faiblesses, devenir satisfait de moi-même, de mon image, de ma personnalité. Je fais un effort pour m'aimer, m'épanouir davantage, aimer les autres, la vie en général. Je développe ce goût de la vie, de tout ce qui est beau, qui m'apporte des satisfactions. L'ÉPANOUISSEMENT EST LE SEUL ET UNIQUE CRITÈRE DE MON BONHEUR. Alors, j'utilise mon énergie vitale pour faire de ma vie un épanouissement total. Je décide de mon destin. Je choisis où je fabrique les circonstances qui me permettent d'y arriver. Je suis le maître de mes choix. Je vis donc en harmonie avec mon bonheur et en équilibre avec la vie.

Si je travaille à cet épanouissement, mon bonheur est content d'être avec moi. Il est conscient de mon potentiel et il est prêt à me donner la chance de le faire valoir. Même qu'il m'aide. Mais pour s'épanouir avec moi, il doit sentir que je fais cet effort. Je dois être sincère car il m'est impossible de le tromper. Je peux raconter toutes sortes d'histoires à n'importe qui, mais pas à lui car il est situé au plus profond de mes vibrations. IL SE NOURRIT SEULEMENT DE LA VÉRITÉ. À moi de choisir maintenant la forme de relation que je veux entretenir avec lui.

Mon bonheur est simplement le reflet de ce que je suis...

Réflexion

*Comme mon bonheur
se nourrit seulement
de la vérité, qu'il est
au plus profond
de moi et que
j'en suis son reflet...
à quoi ressemble-t-elle
cette image du
bonheur que je
projette sur
les autres?*

L'épanouissement est le seul et
unique critère de mon bonheur!

CONCLUSION

LE BONHEUR DEVIENT UN ÉTAT NATUREL. Il débute par une pensée pour finalement s'intégrer à nos vibrations les plus intimes. On doit y croire, le créer, le sentir, le stimuler. Il ne tombe pas du ciel sur un plateau d'argent. C'EST À CHAQUE INSTANT QU'ON LE CONSTRUIT par la pensée positive du bonheur.

Cette force de la pensée, cette puissance merveilleuse, cette énergie incommensurable, dirigée, orientée, programmée en fonction de mon épanouissement personnel, de mon équilibre, de mon bonheur. TOUT ÇA PEUT APPORTER UN RÉSULTAT MERVEILLEUX.

Tout passe par la tête et par le coeur! Donc, en étant sincère, spontané, sans excuses; en faisant le bon choix, en y mettant la volonté, la motivation, l'énergie vitale nécessaire, il est possible d'en faire mon ami...

Je souhaite que ce bout de réflexion qu'on a fait ensemble, puisse vous permettre de découvrir, d'apprivoiser et d'épanouir davantage votre bonheur afin que vous puissiez le façonner à votre image, qu'il devienne votre propre reflet d'amour.

N'OUBLIEZ SURTOUT PAS DE LE PARTAGER!

ANDRÉ SARRAZIN

LE BONHEUR, UN ÉTAT NATUREL

TABLE DES MATIÈRES

DÉCOUVREZ L'AUTEUR

En plus d'être dans le domaine des sciences humaines et de la motivation, l'auteur s'implique aussi dans le domaine des médecines douces.

Il pratique comme travailleur social, hypnothérapeute, naturothérapeute, acupuncteur, motivologue et thérapeute en magnétisme humain.

Il est aussi professeur de nombreux cours, au niveau de la programmation du subconscient, de l'hypnose, auto-hypnose, hypnothérapie, magnétisme personnel, relaxation, communication, motivation, épanouissement personnel.

Il s'implique aussi dans plusieurs organismes ou associations tant au Québec, au Canada qu'aux États-Unis.

L'auteur a préparé des programmes sur cassettes, au niveau de la santé, la relaxation, la motivation et autres. Il a aussi préparé, toujours sur cassettes, plusieurs cours d'auto-perfectionnement avec lesquels on peut travailler à la maison, pour nous aider à développer davantage notre potentiel personnel, en utilisant une méthode "subliminale". Ces méthodes donnent des résultats tout à fait surprenants.

Les personnes ou les groupes intéressés à le contacter, soit pour un commentaire, de l'information, une consultation privée, un cours, une conférence ou simplement la liste des cassettes et des cours d'auto-perfectionnement peuvent s'adresser à:

ANDRÉ SARRAZIN ou: a/s CLINIQUE CORESPRIT
C.P. 1512, St-Martin   8673 St-Denis
Laval (Québec)   Montréal (Québec)
H7V 3P7 (514) 688-3582   H2P 2H4 (514) 388-0413/3636

ORGANISMES

L'auteur est:

— membre de la Corporation professionnelle des Travailleurs Sociaux du Québec

— membre de l'Association Canadienne des Travailleurs Sociaux

— membre de l'Association des hypnologues du Québec

— membre de l'Ordre des Naturothérapeutes du Québec

— membre de la Corporation des Naturologues du Québec

— membre de la Société des Acupuncteurs CBP du Québec

— vice-président de la Clinique et du Centre Coresprit, à Montréal (thérapies, cours, séminaires)

— vice-président du Cercle international des Gagnants (Éditions, cours, conférences, séminaires)

— vice-président de l'Association Québécoise de l'Hypnose

— président de l'Association des Hypnothérapeutes du Québec

— président de l'Association Québécoise de Recherche et Développement en Magnétisme Humain

— président de l'Association Nationale des Motivologues

— reconnu comme "Hypnothérapeute Professionnel" et membre de "American Association of Professional Hypnotherapists".

Les personnes intéressées à découvrir ou mieux connaître ces organismes ont simplement à contacter l'auteur pour avoir de l'information.

Téléphonez ou écrivez à:

ANDRÉ SARRAZIN   ou: a/s CENTRE CORESPRIT
C.P. 1512, St-Martin   8673 St-Denis
Laval (Québec)   Montréal (Québec)
H7V 3P7   (514) 688-3582   H2P 2H4   (514) 388-0413/3636

Publications
chez
le même
éditeur

PARVENEZ
AU SUCCÈS

*Je ne redoute pas l'obstacle,
puisqu'il m'en remporte grâce
de gagner!*

VICTOR **A**UDET

DANS LA COLLECTION

SUR LA VOIE DU SUCCÈS

Victor Audet

LA VENTE
DANS MA VIE

Tome 1

- Les facteurs déterminants.

- Mes premières ventes inconscientes.

- L'importance de la critique.

- Les effets directs dans ma vie.

- Un échec n'est jamais un échec.

Les Éditions Le Cercle
International des Gagnants enr.

Victor Audet

DES FACTEURS DÉTERMINANTS

Tome 2

- Le Statu Quo n'existe pas.

- Croyez que votre prix est juste.

- Vendez le Sizzle.

- Ne dites pas n'importe quoi.

- La Prospection.

Les Éditions Le Cercle
International des Gagnants enr.

ANDRÉ SARRAZIN

Une recette infaillible

- Stabilisez vos relations avec les autres.
- Sachez apprécier ce que vous avez.
- Donnez le maximum en tout temps.
- Voyez-vous en train de réussir.

Les Éditions
le CERCLE international des GAGNANTS enr.